V Sublimes Verrines

Catherine Nicolas
Photographies de Christian Adam

Albums LAROUSSE

Sommaire

VERRINES SUCRÉES

De la famille des courges, le potimarron, plus petit que le potiron, révèle un goût fin de châtaigne. Il est riche en vitamines, oligoéléments, amidon, sucre naturel et carotène.

Velouté de potimarron au lait de coco

PRÉPARATION : 30 MIN

CUISSON : 30 MIN

POUR 6 VERRINES

Pour le velouté

> 800 g de potimarron
> 1 oignon émincé
> 1 cuill. à soupe d'huile d'olive
> 50 cl de bouillon de poule
> 20 cl de lait de coco

Pour les brochettes

> 1 cuill. à soupe d'huile d'olive
> 6 grosses crevettes décortiquées
> 1 gousse d'ail hachée
> 1 cuill. à soupe de miel
> 1 cuill. à soupe de vinaigre de cidre
> le jus de 1/2 citron vert
> 1/2 botte de ciboulette

Pour décorer

> 50 g d'amandes concassées

Préparez le velouté. Épluchez le potimarron à l'aide d'un couteau Économe, épépinez-le, retirez tous les filaments et coupez-le en gros morceaux. Dans une cocotte, faites dorer l'oignon émincé avec l'huile d'olive, versez le bouillon de poule, ajoutez le lait de coco, les cubes de potimarron et laissez cuire à couvert pendant 30 minutes.

Pendant ce temps, préparez les brochettes. Dans une poêle, faites revenir avec l'huile d'olive les crevettes et l'ail haché pendant 5 minutes. Ajoutez le miel, puis incorporez le vinaigre de cidre et le jus de citron vert afin de dissoudre les sucs ; laissez réduire jusqu'à obtenir la consistance d'une sauce. Enfilez chaque crevette sur une petite brochette en bois.
Dans une assiette, ciselez la ciboulette ; mettez-y les brochettes en les retournant pour bien les enrober.

Lorsque la cuisson du potimarron est terminée, mixez-le jusqu'à l'obtention d'un velouté et versez-le dans chaque verrine.

Au moment de servir, parsemez chaque verrine d'amandes concassées et ajoutez une brochette de crevettes. Vous pouvez déguster les verrines chaudes ou froides.

Le speck est une variété de jambon à la saveur délicieusement fumée, provenant de la région du Haut-Adige, au nord de l'Italie.

Tomate mimosa et brochette de speck

PRÉPARATION : 15 MIN

POUR 6 VERRINES

Pour la crème de tomate

> 2 gousses d'ail
> 1 oignon doux
> 6 tomates en branche
> 5 cl de vinaigre de xérès
> 2 pincées d'origan
> 12 cl (soit 8 cuill. à soupe) d'huile d'olive

Pour les œufs mimosa

> 2 œufs durs

Pour décorer

> 1 petit concombre

Pour les brochettes de speck

> 6 gressins
> 6 fines tranches de speck

Préparez la crème de tomate. Épluchez les gousses d'ail et l'oignon puis émincez-les. Pratiquez une incision en croix sur le dessus des tomates. Dans une casserole d'eau bouillante, plongez les tomates 20 secondes. Après refroidissement, pelez-les puis épépinez-les et coupez-les en morceaux. Dans le bol du mixeur, déposez les tomates coupées, l'oignon et l'ail émincés, le vinaigre de xérès et l'origan, puis mixez en versant l'huile au fur et à mesure pour obtenir une crème onctueuse.

Préparez les œufs mimosa. Retirez la coquille des œufs durs et écrasez ceux-ci à la fourchette.

Pelez le concombre, coupez-le en fines tranches dans le sens de la longueur, puis coupez les tranches en petits dés.

Dans le fond de chaque verrine, déposez les œufs mimosa, ajoutez la crème de tomate et répartissez les dés de concombre.

Au moment de servir, ajoutez un gressin enveloppé d'une fine tranche de speck.

Le chou-rave, au goût subtil de navet et d'artichaut, est un légume qui se trouve facilement dans les magasins de produits biologiques ou sur les marchés.

Velouté de roquefort, navet et chou-rave

PRÉPARATION : 15 MIN

CUISSON : 25 MIN

POUR 6 VERRINES

Pour le velouté de roquefort

> 200 g de navets
> 200 g de chou-rave
> 50 cl de lait de soja
> 50 g de roquefort
> sel, poivre

Pour décorer

> 1 cuill. à soupe de persil plat ciselé
> 20 g de raisins blonds secs

Pour accompagner

> 6 fines tranches de pain grillé
> 6 lamelles de roquefort

Épluchez les navets et le chou-rave, rincez-les et découpez-les en petits dés. Dans une casserole, versez le lait de soja, salez, poivrez puis ajoutez les dés de navet et de chou-rave. Laissez cuire 20 minutes à feu doux.

Dans un bol, émiettez le roquefort, ajoutez-le dans la casserole. Écrasez la préparation grossièrement au presse-purée de manière à garder des morceaux et laissez fondre le fromage en continuant la cuisson pendant 5 minutes.

Au moment de servir, versez le velouté de roquefort dans chaque verrine, ajoutez du persil plat ciselé et terminez par quelques raisins blonds.

Servez les verrines chaudes et acccompagnez-les de fines tranches de pain grillé recouvertes de lamelles de roquefort.

Cette recette se sert de préférence chaude.
Vérifiez bien que les verrines résistent
à la chaleur du four

Soufflé au cheddar et crème de poivron

PRÉPARATION : 20 MIN

CUISSON : 40 MIN

POUR 6 VERRINES

Pour la crème de poivron

> 2 poivrons rouges
> 1 cuill. à soupe d'huile d'olive
> 1 cuill. à soupe d'origan
> 1 cuill. à café de sucre en poudre

Pour les soufflés au cheddar

> 4 œufs
> 80 cl de lait
> 120 g de cheddar
> 12 crackers
> 1 pincée de muscade râpée
> une noix de beurre
> sel, poivre

Pour décorer

> 6 crackers

Préchauffez le four à 180 °C (therm. 6).

Préparez la crème de poivron. Épluchez les poivrons à l'aide
d'un couteau Économe, tranchez-les en deux, épépinez-les puis
coupez-les en lanières. Sur une plaque recouverte de papier
sulfurisé, déposez les lanières de poivron. À l'aide d'un pinceau,
badigeonnez-les d'huile d'olive puis saupoudrez-les d'origan.
Enfournez pendant 15 minutes. Une fois cuites, mettez les
lanières de poivron dans le bol du mixeur, ajoutez le sucre
en poudre et 2 cuillerées à soupe d'eau puis mixez.

Pendant ce temps, préparez les soufflés au cheddar.
Cassez les œufs dans une jatte, versez le lait et fouettez.
Râpez le cheddar et émiettez les crackers puis incorporez-les
aux œufs battus ; salez, poivrez, ajoutez la muscade râpée
et mélangez soigneusement. Beurrez les verrines et versez-y
la préparation. Enfournez pendant 40 minutes.

Lorsque les soufflés sont cuits, ajoutez la crème de poivron
dans chaque verrine et décorez avec un cracker. Servez aussitôt.

Pour une présentation différente, vous pouvez mélanger
les olives et la mousse de chèvre. Dressez alors les verrines
à la cuillère, car la douille pourrait être obstruée par
les éclats d'olive.

Crème de betterave
et chèvre frais aux olives

PRÉPARATION : 20 MIN

CUISSON : 2-3 MIN

POUR 6 VERRINES

Pour la crème de betterave

> 1 betterave cuite
> 2 cuill. à soupe d'huile d'olive
> 1 cuill. à café de cumin

Pour la mousse de chèvre

> 100 g de fromage de chèvre frais
> 2 blancs d'œuf très frais
> sel, poivre du moulin

Pour décorer

> 50 g d'olives noires
> 1 cuill. à café d'herbes de Provence
> 1 betterave crue
> 1 cuill. à soupe de graines de sésame

Préparez la crème de betterave. Épluchez la betterave cuite
puis coupez-la en gros cubes. Dans le bol du mixeur, mettez
les cubes de betterave, versez l'huile d'olive, ajoutez le cumin,
puis mixez.

Préparez la mousse de chèvre. Mixez le fromage frais avec
du poivre. Montez les blancs en neige avec une pincée de sel
et incorporez-les délicatement au fromage frais en soulevant
la masse avec une spatule.

Dénoyautez les olives noires, hachez-les finement puis ajoutez
les herbes de Provence et mélangez.

Épluchez la betterave crue et râpez-la.

Dans une poêle chaude, faites griller à sec les graines de sésame
pendant 2 ou 3 minutes.

Dressez les verrines. Déposez de la crème de betterave au fond
de chaque verrine. Pour ajouter la mousse de chèvre, utilisez
une poche à douille simple. Répartissez les olives concassées
et terminez par les betteraves râpées. Parsemez de graines
de sésame grillées.

Griller les amandes à sec, sans matière grasse, apporte ce petit goût torréfié et empêche les amandes de se coller entre elles.

Pois chiches et coriandre, salade de feta

PRÉPARATION : 15 MIN

CUISSON : 2-3 MIN

POUR 6 VERRINES

Pour la purée de pois chiches

> 800 g de pois chiches (en bocal)
> 1/2 botte de coriandre
> 4 gousses d'ail
> le jus de 1 citron jaune
> 7 cuill. à soupe d'huile d'olive

Pour la salade de feta

> 4 tiges de ciboule
  (ou 1/2 botte de ciboulette)
> 250 g de feta
> 1 cuill. à soupe d'huile d'olive
> poivre du moulin

Pour décorer

> 20 g d'amandes effilées

Préparez la purée de pois chiches. Rincez les pois chiches et égouttez-les. Réservez-les dans le bol du mixeur. Lavez et essorez la coriandre puis ciselez-la finement. Épluchez les gousses d'ail et passez-les au presse-ail. Ajoutez la coriandre ciselée aux pois chiches, l'ail puis le jus de citron jaune et mixez le tout en incorporant au fur et à mesure l'huile d'olive.

Préparez la salade de feta. Lavez et épluchez la ciboule. Après l'avoir séchée, émincez-la. Émiettez grossièrement la feta dans un bol, ajoutez la ciboule émincée, l'huile d'olive, du poivre, puis mélangez.

Dans une poêle chaude, faites griller à sec les amandes effilées pendant 2 ou 3 minutes.

Dans chaque verrine, déposez la purée de pois chiches, ajoutez la salade de feta et décorez d'amandes effilées grillées.

Le *cottage cheese*, comme son nom l'indique, vient de Grande-Bretagne. C'est un fromage frais de lait caillé, subtilement salé et à la texture granuleuse mais fondante, que l'on trouve facilement en grande surface.

Deux petits pois et croustillant de jambon

PRÉPARATION : 20 MIN
CUISSON : 30 MIN

POUR 6 VERRINES

Pour le croustillant de jambon

> 1 tranche de jambon d'Auvergne
> 1 cuill. à soupe de miel

Pour les petits pois

> 4 oignons blancs nouveaux
> 1 cuill. à soupe d'huile d'olive
> 500 g de petits pois surgelés
> 10 cl de bouillon de légumes
> 2 cuill. à soupe de crème fraîche
> fleur de sel

Pour le *cottage cheese* assaisonné

> 20 brins de ciboulette
> 125 g de *cottage cheese*
> poivre mignonnette (ou poivre à steak)

Pour décorer

> 1 cuill. à café de graines de sésame
> quelques petites feuilles de menthe

Préparez le croustillant de jambon. Préchauffez le four à 120 °C (therm. 4). Étalez le jambon d'Auvergne coupé en lanières sur une plaque recouverte de papier sulfurisé. À l'aide d'un pinceau, enduisez celles-ci de miel. Laissez sécher au four 30 minutes.

Pendant ce temps, lavez, épluchez et émincez les oignons blancs. Dans une sauteuse, faites dorer les oignons émincés avec l'huile d'olive, ajoutez les petits pois encore surgelés, versez le bouillon de légumes et laissez cuire à feu doux 20 minutes.

Quand les petits pois sont cuits, préparez la crème de petits pois. Prélevez la moitié des petits pois cuits et mixez-les avec de la crème fraîche et la fleur de sel, jusqu'à l'obtention d'un mélange crémeux. Réservez l'autre moitié des petits pois braisés.

Préparez le *cottage cheese* assaisonné. Dans un bol, ciselez la ciboulette. Ajoutez le *cottage cheese* et le poivre mignonnette puis mélangez soigneusement à l'aide d'une fourchette. Réservez au frais.

Pour dresser les verrines, déposez les petits pois braisés au fond, ajoutez le *cottage cheese* assaisonné, et terminez par la crème de petits pois. Au moment de servir, décorez chaque verrine d'une fine lanière de jambon d'Auvergne croustillant, de graines de sésame et de petites feuilles de menthe.

Le choix des mini-pennes est préférable,
car leur taille est adaptée aux verrines,
et pour la même raison, les légumes
sont coupés en tout petits dés.

Pennes façon caponata

PRÉPARATION : 15 MIN

CUISSON : 20 MIN ENVIRON

POUR 6 VERRINES

> 150 g de concassé de tomate fraîche
  prêt à l'emploi

Pour les légumes façon caponata

> 1 poivron rouge

> 2 petites courgettes

> 1 oignon

> 50 g d'olives noires marinées

> 2 gousses d'ail

> 2 cuill. à soupe d'huile d'olive

> 1 cuill. à soupe de romarin séché

> 1 cuill. à soupe d'herbes de Provence
  séchées

Pour les pennes

> 150 g de mini-pennes

> 1 cube de bouillon de poule

Pour décorer

> quelques brins de thym frais

Préparez les légumes. Lavez le poivron rouge et les courgettes, épluchez l'oignon puis découpez-les en tout petits dés, sans les mélanger. Dénoyautez les olives puis hachez-les très finement. Épluchez l'ail et écrasez-le à l'aide d'un presse-ail. Dans une poêle chaude, versez l'huile d'olive, ajoutez l'oignon et laissez blondir pendant 5 minutes environ. Ajoutez les dés de poivron et laissez-les fondre, puis incorporez les dés de courgette et continuez la cuisson 5 minutes. Terminez par l'ail écrasé, les olives hachées, le romarin et les herbes de Provence. Laissez cuire 15 minutes à feu doux. Les légumes doivent conserver un certain croquant.

Pendant ce temps, faites cuire les mini-pennes comme indiqué sur le mode d'emploi, pendant environ 6 minutes. Ajoutez le cube de bouillon de poule dans l'eau de cuisson. Une fois les pâtes cuites, égouttez-les et laissez-les refroidir.

Au moment de servir, déposez dans chaque verrine du concassé de tomate fraîche, répartissez les mini-pennes, ajoutez les légumes et décorez de quelques brins de thym frais.

Vous pouvez trouver dans le commerce des filets de maquereau fumé au poivre ou aux épices. Les sardines et de nombreux autres poissons fumés peuvent aussi parfaitement convenir à cette recette.

Rillettes de maquereau fumé

PRÉPARATION : 15 MIN

POUR 6 VERRINES

Pour les rillettes de maquereau

> 2 filets de maquereau fumé
> 2 échalotes
> 100 g de fromage de chèvre très frais
> poivre du moulin

Pour décorer

> quelques brins de ciboulette

Pour accompagner

> petits pains nature
  (ou aux raisins secs)

Préparez les rillettes de maquereau. Ôtez la peau des maquereaux et enlevez soigneusement toutes les arêtes, puis effilochez le poisson. Épluchez et hachez très finement les échalotes. Dans un plat creux, écrasez le fromage de chèvre, ajoutez les échalotes hachées, poivrez puis mélangez. Incorporez les maquereaux effilochés et mélangez de nouveau avec soin. Garnissez les verrines avec les rillettes de maquereau et gardez-les au frais.

Au moment de servir, rincez les brins de ciboulette et séchez-les délicatement entre deux feuilles de papier absorbant puis ciselez-les. Décorez-en chaque verrine.

Tranchez finement les petits pains et passez-les au grille-pain. Gardez-les au chaud dans une serviette repliée et servez-les pour accompagner les verrines.

Pour les amateurs de saveurs plus relevées, il est possible d'ajouter dans la salade un petit piment épépiné et haché très finement.

Salade asiatique douce

PRÉPARATION : 20 MIN

CUISSON : 15 MIN

POUR 6 VERRINES

> 1 pamplemousse rose

Pour les crevettes sautées

> 2 échalotes
> 1 gousse d'ail
> 2 petits oignons blancs
> 1 cuill. à soupe d'huile d'olive
> 200 g de crevettes grises décortiquées
> le jus de 1 citron vert
> 2 cuill. à soupe de nuoc-mâm
> 1 cuill. à café de sucre en poudre
> 1/2 botte de ciboulette
> 1/2 botte de coriandre

Pour décorer

> 30 g de cacahuètes non salées
> quelques brins de ciboulette et de coriandre

À l'aide d'un couteau bien aiguisé, tranchez la base et le sommet du pamplemousse rose. Épluchez le pamplemousse à vif au-dessus d'un saladier, pour préserver le jus : prélevez chaque segment, décollez soigneusement toutes les peaux blanches, puis coupez la chair en petits morceaux. Réservez dans un saladier les morceaux de pamplemousse avec leur jus.

Préparez les crevettes sautées. Épluchez les échalotes, l'ail et les petits oignons blancs puis hachez-les très finement. Dans une poêle, chauffez l'huile d'olive, faites revenir les échalotes à feu vif en remuant pendant 5 minutes, puis ajoutez l'ail haché et prolongez la cuisson pendant 5 minutes environ. Terminez en ajoutant les crevettes décortiquées, laissez-les dorer légèrement et, en fin de cuisson, rajoutez les petits oignons blancs. Hors du feu, versez sur les crevettes sautées le jus de citron vert et le nuoc-mâm. Incorporez le sucre en poudre, la ciboulette et la coriandre hachées, puis mélangez délicatement.

Dans un mortier, concassez les cacahuètes.

Répartissez les morceaux de pamplemousse dans chaque verrine, puis les crevettes sautées. Au moment de servir, ajoutez les éclats de cacahuète. Garnissez de quelques herbes en décoration.

Évitez de saler les pommes de terre,
car la brandade de morue et la tapenade
sont déjà salées.

Morue à la tapenade et au fenouil

PRÉPARATION : 15 MIN

CUISSON : 20 MIN

POUR 6 VERRINES

> 4 cuill. à soupe de tapenade

Pour la fondue de fenouil

> 1 bulbe de fenouil
> 2 échalotes
> 1 gousse d'ail
> 1 cuill. à soupe d'huile d'olive
> poivre du moulin

Pour la morue

> 2 pommes de terre (bintje)
> 400 g de brandade de morue
  prête à l'emploi

Pour décorer

> quelques brins d'aneth

Préparez la fondue de fenouil. Lavez le fenouil, coupez-le en tranches fines puis découpez-le en petits dés. Épluchez les échalotes et l'ail puis émincez-les. Dans une poêle, versez l'huile d'olive, ajoutez les échalotes et l'ail émincés, laissez-les fondre puis incorporez le fenouil et poivrez. Laissez bien compoter pendant 20 minutes.

Pendant ce temps, faites cuire à l'eau les pommes de terre avec leur peau, pendant 20 minutes environ, puis épluchez-les et mélangez-les à la brandade de morue. Réservez.

Dressez les verrines. Déposez au fond de chacune une couche de fondue de fenouil (gardez-en pour le décor) suivie d'une couche de tapenade. Ajoutez la brandade de morue à la pomme de terre, ajoutez par-dessus un peu de fenouil. Décorez de brins d'aneth.

Cette petite recette très rapide et très simple
à réaliser est idéale si le temps vient à manquer.

Crème d'avocat et tarama

PRÉPARATION : 10 MIN

POUR 6 VERRINES

> 200 g de tarama
> 100 g d'œufs de saumon

Pour la crème d'avocat

> 3 avocats bien mûrs
> 1 citron
> poivre du moulin

Pour décorer

> quelques brins de ciboulette

Préparez la crème d'avocat. Tranchez les avocats en deux,
ôtez le noyau. Retirez la chair avec une cuillère et déposez-la
dans le bol du mixeur. Coupez le citron en deux, pressez-le, puis
ajoutez le jus du citron dans le bol avec la chair d'avocat, poivrez
et mixez le tout. Réservez au réfrigérateur en protégeant la crème
avec un film alimentaire.

Au moment de servir, déposez dans chaque verrine une couche
de crème d'avocat puis une couche de tarama. Ajoutez les œufs
de saumon. Ciselez les brins de ciboulette au dernier moment
pour éviter l'oxydation et parsemez-les sur chaque verrine.

Pour une dégustation tiède, vous pouvez réchauffer les verrines au bain-marie ; dans ce cas, ajoutez l'aneth au dernier moment.

Cabillaud au munster et au cumin

PRÉPARATION : 15 MIN

CUISSON : 30 MIN

POUR 6 VERRINES

> 400 g de filet de cabillaud

Pour la fondue de poireau

> 3 petits blancs de poireau
> 60 g de beurre
> 1/2 cube de bouillon de légumes

Pour la crème de munster

> 1 petit munster de 200 g environ
> 10 g de beurre
> 2 échalotes émincées
> 5 cl de vin blanc
> 1 cuill. à café de graines de cumin
   (ou de carvi)
> 20 cl de crème liquide
> sel, poivre

Pour décorer

> 1 vert de poireau
> quelques brins d'aneth ciselés

Préparez la fondue de poireau. Nettoyez soigneusement les blancs et le vert de poireau, qui sera ajouté en décor, tranchez-les en deux dans le sens de la longueur puis émincez-les en rondelles fines biseautées. Dans une casserole, faites fondre le beurre, ajoutez les blancs et le vert de poireau, versez de l'eau à niveau, incorporez 1/2 cube de bouillon de légumes et laissez mijoter pendant 30 minutes. À la fin de la cuisson, réservez le vert de poireau.

Pendant ce temps, préparez la crème de munster. Ôtez la croûte du munster et coupez le fromage en dés. Dans une casserole, faites fondre le beurre, faites suer les échalotes à feu doux, ajoutez les dés de munster, le vin blanc et le cumin, puis laissez fondre le tout. Ajoutez la crème liquide, poivrez et salez modérément, puis réservez au chaud.

Dans un faitout, faites cuire à la vapeur le filet de cabillaud pendant 10 minutes environ. Émiettez le poisson.

Au moment de servir, déposez dans le fond de chaque verrine la fondue de blanc de poireau, ajoutez le cabillaud émietté, continuez par la crème de munster, parsemez de quelques biseaux de vert de poireau et terminez par l'aneth ciselé.

Pour ceux qui n'apprécient pas le poisson cru, du saumon fumé peut remplacer le saumon frais. Faites-le mariner également, mais supprimez la fleur de sel.

Lentilles au curry et au saumon mariné

PRÉPARATION : 15 MIN

CUISSON : 1 H

MARINADE : 1 H

POUR 6 VERRINES

Pour le saumon mariné

> 300 g de pavé de saumon cru très frais
> 1 cuill. à soupe d'huile d'olive
> 1 cuill. à café de sauce soja
> le jus de 1 citron
> fleur de sel, poivre aux baies roses

Pour les lentilles au curry

> 4 oignons nouveaux
> 250 g de lentilles
> 1 cuill. à soupe de curry
> 1 petit bouquet garni
> sel, poivre du moulin

Pour la vinaigrette

> 1/2 bouquet de coriandre
> 5 cuill. à soupe d'huile d'olive
> 2 cuill. à soupe de vinaigre balsamique

Pour décorer

> quelques feuilles de coriandre

Dans un plat creux, coupez le pavé de saumon en petits cubes, saupoudrez de fleur de sel et réservez au frais.

Préparez la marinade. Mélangez dans un bol l'huile d'olive, la sauce soja et le jus de citron. Versez le tout sur les cubes de saumon, ajoutez le poivre aux baies roses, mélangez et laissez mariner 1 heure.

Pendant ce temps, préparez les lentilles au curry. Épluchez les oignons nouveaux et émincez 2 d'entre eux finement. Versez les lentilles dans une casserole, couvrez-les d'eau froide, ajoutez les 2 oignons entiers et les oignons émincés, le curry, le bouquet garni, le sel et le poivre du moulin. Portez à frémissement et laissez cuire à feu doux environ 1 heure. À la fin de la cuisson, égouttez les lentilles, ôtez les 2 oignons entiers et le bouquet garni, laissez refroidir.

Préparez la vinaigrette. Lavez et séchez la coriandre puis ciselez-la. Mélangez l'huile d'olive et le vinaigre balsamique, versez sur les lentilles, ajoutez la coriandre et mélangez délicatement.

Au moment de servir, déposez dans chaque verrine les lentilles au curry assaisonnées, puis le saumon mariné et décorez avec quelques feuilles de coriandre.

Pour modifier la saveur et la couleur des tuiles de parmesan, vous pouvez ajouter, avant de les cuire, des épices en grains ou moulues.

Saint-jacques aux asperges et tuiles de parmesan

PRÉPARATION : 20 MIN

CUISSON : 10 MIN

POUR 6 VERRINES

> 60 g de parmesan en morceaux
> 6 noix de saint-jacques
> 1 cuill. à soupe d'huile d'olive
> 6 cuill. à café d'œufs de lump
> fleur de sel, poivre aux baies roses

Pour les asperges

> 6 asperges blanches
> une noix de beurre
> 1 cuill. à soupe d'huile d'olive
> 1 cuill. à café de vinaigre de vin blanc
> 30 g d'amandes concassées
> sel, poivre

Pour décorer

> 50 g de graines germées de poireau

Préparez les tuiles de parmesan. Préchauffez le four à 180 °C (therm. 6). Râpez le parmesan. Sur une plaque recouverte de papier sulfurisé, déposez des petits tas de parmesan en les espaçant bien, puis aplatissez-les. Faites-les dorer pendant 10 minutes environ. Sortez les galettes de parmesan du four, détachez-les à l'aide d'une spatule et déposez-les sur un rouleau à pâtisserie recouvert d'une feuille d'aluminium. Laissez refroidir.

Préparez les asperges. Pelez puis lavez les asperges et coupez-les en petits bâtonnets obliques. Faites chauffer le beurre dans une cocotte, ajoutez les asperges blanches et 2 cuillerées à soupe d'eau légèrement salée et poivrée. Laissez étuver 10 minutes. Dans un plat, versez l'huile d'olive, le vinaigre, ajoutez les asperges et les amandes, mélangez bien.

Coupez les noix de saint-jacques crues en fines tranches, assaisonnez de fleur de sel, de poivre aux baies roses et de 1 cuillerée à soupe d'huile d'olive. Disposez dans les verrines les asperges, puis 1 cuillerée à café d'œufs de lump, ajoutez les saint-jacques puis parsemez de graines germées de poireau. Servez les verrines en les accompagnant des tuiles de parmesan.

Dans la préparation du crumble, les amandes
peuvent être remplacées par des noix,
des noisettes ou même des pistaches.

Crumble au foie gras et au porto

PRÉPARATION : 15 MIN

CUISSON : 2 H

POUR 6 VERRINES

> 20 cl de porto rouge
> 2 pommes reinettes
> 20 g de beurre
> 200 g de foie gras
> 6 cuill. à café de compote de figue
> poivre du moulin

Pour le crumble aux amandes

> 150 g de farine
> 70 g de beurre
> 50 g d'amandes concassées
> fleur de sel

Versez le porto dans une petite casserole et laissez réduire
à feu très doux pendant 2 heures environ.

Pendant ce temps, préparez le crumble aux amandes.
Préchauffez le four à 200 °C (therm. 6-7). Dans un saladier,
mélangez du bout des doigts la farine, le beurre en morceaux,
les amandes concassées et la fleur de sel afin d'obtenir
une texture granuleuse. Étalez la préparation sur une plaque
recouverte de papier sulfurisé, laissez dorer au four 15 minutes
environ. Après complet refroidissement, émiettez grossièrement
le mélange.

Épluchez les pommes reinettes, évidez-les et coupez-les
en petits dés. Dans une poêle chaude, faites fondre 20 g
de beurre, ajoutez les dés de pomme et laissez-les dorer
pendant 10 minutes. Ajoutez du poivre du moulin.

Au moment de servir, tranchez le foie gras en fines lamelles.
Versez la réduction de porto dans le fond de chaque verrine,
déposez les dés de pomme, ajoutez les lamelles de foie gras,
puis complétez par 1 cuillerée à café de compote de figue.
Terminez par les miettes de crumble aux amandes.

Citronner les pommes est une étape vraiment nécessaire pour éviter l'oxydation des fruits, surtout si vous préparez les verrines à l'avance.

Salade d'endives au magret fumé

PRÉPARATION : 15 MIN

CUISSON : 2-3 MIN

POUR 6 VERRINES

> 1 pomme granny smith
> 1 cuill. à soupe de jus de citron
> 50 g de roquefort
> 18 tranches de magret fumé

Pour la salade d'endives

> 2 endives

Pour la vinaigrette

> 2 cuill. à soupe d'huile de pépins de raisin
> 1 cuill. à soupe de vinaigre de cidre
> 1 cuill. à soupe de miel d'acacia
> 1 cuill. à café de sauce soja
> 30 g de raisins blonds
> poivre du moulin

Pour décorer

> 30 g de pignons de pin

Préparez la salade d'endives. Rincez les endives, laissez-les sécher puis taillez-les en quatre dans le sens de la longueur. Ôtez le cône dur à l'extrémité, puis tranchez les morceaux d'endives en bandes fines. Réservez celles-ci dans un saladier. Préparez la vinaigrette en mélangeant l'huile de pépins de raisin, le vinaigre, le miel, la sauce soja et les raisins. Poivrez et mélangez soigneusement la vinaigrette et les endives.

Rincez soigneusement la pomme granny smith, coupez-la en quatre, ôtez le cœur et les pépins et émincez chaque quartier très finement dans le sens de la largeur. Dans un bol, versez 1 cuillerée à soupe de jus de citron, ajoutez les lamelles de pomme, mélangez et réservez.

Découpez le roquefort en petits dés.

Dans une poêle chaude, grillez à sec les pignons de pin pendant 2 ou 3 minutes.

Dans le fond des verrines, disposez la salade d'endives, ajoutez les lamelles de pomme puis les dés de roquefort. Nappez du reste de la vinaigrette puis parsemez de pignons de pin.

Au moment de servir, enfilez trois tranches de magret fumé sur chaque brochette en bois, puis posez-les sur chaque verrine.

Il existe toutes sortes de confitures d'oignon
parfumées aux raisins, aux citrons verts,
à la mangue ou aux épices, vendues dans
les épiceries fines.

Confit de canard aux pommes fruits

PRÉPARATION : 15 MIN

CUISSON : 15 MIN

POUR 6 VERRINES

> 6 cuill. à café de confiture d'oignon

Pour les pommes

> 2 pommes goldens
> 20 g de beurre
> 1 cuill. à café de sucre roux

Pour le confit de canard

> 2 cuisses de canard confites
> 2 gousses d'ail hachées
> 2 cuill. à soupe de persil ciselé

Pour décorer

> 2 branches de thym frais

Pelez les pommes goldens, coupez-les en quatre, ôtez les cœurs et les pépins et tranchez chaque quartier en quatre. Dans une poêle, faites fondre le beurre et laissez dorer les pommes de chaque côté pendant 10 minutes. À mi-cuisson, ajoutez le sucre roux et caramélisez légèrement pendant encore 5 minutes. Retirez du feu et réservez les morceaux de pomme dorés.

Pendant ce temps, dans une sauteuse, faites chauffer doucement les cuisses de canard confites pour faire fondre la graisse. Ôtez les cuisses de la sauteuse et laissez tiédir. Réservez 1 cuillerée à soupe de graisse. Enlevez la peau du canard, effilochez la viande. Remettez dans la sauteuse les cuisses de canard, ajoutez l'ail, le persil et la cuillerée de graisse de canard. Faites dorer pendant 10 minutes.

Au moment de servir, disposez dans chaque verrine des quartiers de pomme dorés, répartissez le confit de canard et ajoutez 1 cuillerée à café de confiture d'oignon. Décorez avec quelques petites feuilles de thym frais.

Ces brochettes peuvent aussi se préparer, indifféremment, avec de la viande de porc ou avec de l'agneau.

Brochettes de poulet mariné et crème de maïs

PRÉPARATION : 20 MIN

MARINADE : 1H

CUISSON : 35 MIN

POUR 6 VERRINES

Pour le poulet mariné

> 300 g de blancs de poulet
> 1 oignon
> 2 gousses d'ail
> 1 cuill. à soupe de sucre roux
> 1 cuill. à soupe d'huile d'olive
> 15 cl de vinaigre de cidre
> 15 cl de Worcestershire sauce
> 1 cuill. à soupe de moutarde
  de Meaux
> 1 cuill. à soupe de ketchup
> 1 cuill. à café de cumin en poudre

Pour la crème de maïs

> 300 g de maïs (en conserve)
> 1 oignon
> 1 cuill. à soupe d'huile d'olive
> 5 cl de bouillon de poule
> 2 cuill. à soupe de crème fraîche
> poivre du moulin

Préparez le poulet mariné. Découpez les blancs de poulet en lanières. Épluchez l'oignon et les gousses d'ail, hachez-les finement et mettez le tout dans un plat creux. Ajoutez-y tous les ingrédients de la marinade et mélangez. Laissez mariner pendant 1 heure au réfrigérateur en retournant les lanières de poulet au bout de 30 minutes.

Préparez la crème de maïs. Égouttez le maïs, émincez l'oignon. Dans une poêle chaude, versez l'huile d'olive, ajoutez l'oignon émincé, laissez-le dorer pendant 5 minutes environ et versez le bouillon de poule. Incorporez le maïs et laissez mijoter pendant 10 minutes. Dans le bol du mixeur, versez le maïs et l'oignon, ajoutez la crème fraîche, poivrez, et mixez jusqu'à l'obtention d'une consistance crémeuse.

Trempez les brochettes en bois 10 minutes dans de l'eau tiède. Allumez le gril du four. Enfilez chaque lanière de poulet sur une brochette en piquant chaque morceau plusieurs fois sur la longueur. Faites cuire les brochettes sous le gril du four, 10 minutes de chaque côté.

Au moment de servir, garnissez chaque verrine de crème de maïs puis ajoutez 2 brochettes grillées. Dégustez les verrines tièdes ou froides.

Les raisins blonds peuvent être remplacés par du chutney à la mangue, que l'on trouve facilement au rayon des produits indiens en grande surface.

Curry de grillade de porc et riz basmati à la ciboulette

PRÉPARATION : 25 MIN

CUISSON : 30 MIN

POUR 6 VERRINES

> 125 g de riz basmati
> 100 g d'oignons frits prêts à l'emploi
> 1/2 botte de ciboulette ciselée
> quelques raisins blonds
> sel

Pour la grillade de porc

> 500 g de grillade de porc
> 1 cuill. à soupe d'huile d'olive
> sel, poivre

Pour la crème de curry

> 1 oignon
> 2 gousses d'ail
> 1 pomme reinette
> 2 petites tomates
> 1 cuill. à soupe d'huile d'olive
> 2 cuill. à café de curry
> 2 cuill. à soupe de noix de coco râpée
> 125 g de yaourt nature
> 80 g de crème fraîche
> 1 pincée de cannelle
> sel, poivre du moulin

Préparez la grillade de porc. Découpez la grillade de porc en lanières, puis en petits cubes. Dans une sauteuse, versez 1 cuillerée d'huile d'olive et faites rissoler la viande de chaque côté pendant 15 minutes environ. Lorsque la viande est bien dorée, salez et poivrez, ôtez de la sauteuse et réservez.

Pendant ce temps, préparez la crème de curry. Épluchez l'oignon et émincez-le, épluchez l'ail et écrasez-le au presse-ail. Pelez la pomme, ôtez le cœur et découpez-la en petits dés. Dans une casserole d'eau bouillante, plongez les tomates 20 secondes, pelez-les, épépinez-les puis hachez la pulpe. Versez l'huile d'olive dans la sauteuse, ajoutez l'oignon émincé, les dés de pomme, l'ail, le curry et mélangez. Après 10 minutes, ajoutez la chair de tomate, la noix de coco, le yaourt et la crème fraîche, puis la pincée de cannelle et terminez par le sel et le poivre du moulin. Mélangez et laissez mijoter 30 minutes à feu doux, en couvrant. À la fin de la cuisson, mixez la préparation.

Faites cuire le riz dans deux fois et demi son volume d'eau salée, jusqu'à complète absorption du liquide, pendant 15 minutes environ.

Au moment de servir, garnissez le fond des verrines d'oignons frits, ajoutez la ciboulette ciselée puis le riz, continuez par la crème au curry, déposez la grillade de porc rissolée. Décorez de raisins blonds et parsemez de ciboulette ciselée.

*Le semifreddo est un dessert glacé italien.
Il est ici parfumé aux amandes, mais peut aussi
être préparé au pastis ou à la manzana,
une délicieuse liqueur de pomme verte.*

Semifreddo à l'amaretto

PRÉPARATION : 20 MIN

CUISSON : 10 MIN ENVIRON

CONGÉLATION : 4 H

POUR 6 VERRINES

> 25 g de sucre en poudre
> 2 blancs d'œuf

Pour la crème Chantilly

> 25 cl de crème liquide
> 25 g de sucre en poudre
> 3 cl de liqueur amaretto

Pour décorer

> 30 g de noix de pécan
> 6 biscuits amaretti
  (macarons à l'amande)

Dans une casserole, faites chauffer 2 cuillerées à soupe d'eau, versez en pluie le sucre en poudre et laissez réduire légèrement pendant 10 minutes environ. Montez les blancs d'œuf en neige avec un batteur, puis versez doucement le sirop chaud en continuant de fouetter jusqu'au refroidissement complet.

Préparez la crème Chantilly. Dans un récipient préalablement placé au congélateur pendant 15 minutes, fouettez la crème liquide bien froide et montez-la en chantilly en ajoutant progressivement 25 g de sucre en poudre et la liqueur amaretto.

Incorporez à la crème Chantilly les blancs en neige au sirop en soulevant la masse délicatement. Versez la préparation dans chaque verrine et placez au congélateur pendant 4 heures.

Mettez les noix de pécan dans un sac de congélation et concassez-les à l'aide d'un rouleau à pâtisserie.

Une dizaine de minutes avant de les servir, sortez les semifreddo du congélateur et répartissez sur le dessus les noix de pécan concassées. Ajoutez un biscuit amaretti.

Cette verrine peut aussi se préparer la veille.
Très dense en chocolat, elle est idéale pour
les amateurs et les grands gourmands.

Ganache chocolat et lait au Carambar®

PRÉPARATION : 20 MIN

CUISSON : 20 MIN ENVIRON

RÉFRIGÉRATION : 4 H

POUR 6 VERRINES

> 150 g de cacahuètes non salées

Pour la ganache chocolat

> 200 g de chocolat noir

> 25 cl de crème liquide

Pour le lait au Carambar®

> 8 cl de lait

> 8 Carambar

Pour décorer

> 6 nounours en chocolat et guimauve

Préparez la ganache. Râpez le chocolat noir et faites-le fondre au bain-marie. Dans une casserole, faites tiédir la crème liquide et versez-la sur le chocolat fondu. Remuez soigneusement jusqu'à l'obtention d'une crème homogène.

Dans un sac de congélation, concassez grossièrement les cacahuètes à l'aide d'un rouleau à pâtisserie et grillez-les à sec dans une poêle pendant 2 ou 3 minutes.

Dans chaque verrine, répartissez les miettes de cacahuète et versez la ganache liquide.

Laissez refroidir complètement au moins 4 heures.

Préparez le lait au Carambar®. Faites chauffer le lait à feu doux, découpez les Carambar® en petits morceaux et laissez-les fondre. Dès que le mélange est fluide, au bout de 15 minutes environ, remuez soigneusement ; ôtez du feu et laissez refroidir.

Au moment de servir, versez le lait au Carambar® dans chaque verrine et ajoutez un nounours en chocolat et guimauve.

Pour les petits gourmands, le riesling peut être remplacé par du jus de raisin blanc, en gardant les mêmes proportions.

Mirabelles sur riz au lait et gelée de riesling

PRÉPARATION : 15 MIN

CUISSON : 30 MIN ENVIRON

RÉFRIGÉRATION : 1 H

POUR 6 VERRINES

> 400 g de mirabelles au sirop
> 20 g de beurre
> 2 cuill. à café de sucre en poudre
> 100 g de cassis
> sucre glace (pour décorer)
> brins de lavande (facultatif)

Pour la gelée de riesling

> 2 feuilles de gélatine
> 20 cl de riesling

Pour le riz au lait

> 40 cl de lait
> 20 cl de lait de coco
> 4 cuill. à soupe de riz rond
> 30 g de sucre en poudre

Pour le caramel

> 200 g de sucre en poudre
> 200 g de beurre
> 25 cl de crème fraîche

Préparez la gelée de riesling. Laissez tremper les feuilles de gélatine dans un récipient d'eau froide. Dans une casserole, faites tiédir le riesling puis incorporez les feuilles de gélatine essorées. Versez dans les verrines et laissez prendre au réfrigérateur pendant 1 heure au minimum.

Préparez le riz au lait. Portez le lait et le lait de coco à ébullition et faites-y cuire le riz pendant 20 minutes. En fin de cuisson, ajoutez le sucre, mélangez puis laissez refroidir complètement. Versez le riz dans chaque verrine, sur la gelée de riesling, et réservez de nouveau au réfrigérateur.

Égouttez et dénoyautez les mirabelles puis faites-les caraméliser dans le beurre et le sucre.

Préparez le caramel dans une petite casserole ; faites chauffer le sucre. Quand il est bien doré, retirez du feu et ajoutez le beurre. Remettez sur le feu et mélangez pour uniformiser le caramel. Ajoutez enfin la crème, laissez bouillonner tout en remuant pour bien dissoudre le sucre.

Au moment de servir, sortez les verrines du réfrigérateur, versez le caramel sur le riz, ajoutez les mirabelles, puis les grains de cassis et saupoudrez de sucre glace à l'aide d'une petite passoire. Décorez de brins de lavande.

Au moment de servir les verrines, il est possible de les tiédir au micro-ondes, avant de déposer le crumble et la boule de glace.

Crumble aux pommes caramélisées et bananes flambées

PRÉPARATION : 20 MIN

CUISSON : 20 MIN

POUR 6 VERRINES

Pour le crumble

> 35 g de beurre ramolli
> 50 g de sucre en poudre
> 50 g de farine

Pour les pommes caramélisées

> 3 pommes reinettes
> 1 cuill. à soupe de beurre
> 2 cuill. à café de cassonade

Pour les bananes flambées

> 3 bananes
> 1 cuill. à café de rhum brun

Pour décorer

> 6 boules de glace vanille
> 20 g de poudre de pistache

Préparez le crumble. Préchauffez le four à 180 °C (therm. 6). Dans un saladier, travaillez le beurre avec le sucre et la farine, mélangez du bout des doigts afin d'obtenir une texture très sableuse. Étalez le mélange en fine couche sur une plaque recouverte de papier sulfurisé et enfournez 20 minutes. Laissez refroidir puis émiettez grossièrement la pâte granuleuse et dorée.

Préparez les pommes caramélisées. Épluchez les pommes reinettes, coupez-les en morceaux. Dans une poêle, faites fondre le beurre et faites-y revenir les pommes. Ajoutez la cassonade, laissez fondre et caraméliser pendant 5 minutes. Retirez du feu et réservez.

Préparez les bananes flambées. Épluchez les bananes. Coupez-les en demi-rondelles. Dans une petite poêle chaude, mettez les morceaux de banane puis flambez-les avec le rhum brun.

Dressez les verrines. Déposez les pommes caramélisées, ajoutez les bananes flambées, le crumble, puis une boule de glace vanille. Saupoudrez de poudre de pistache et dégustez sans attendre.

Si vous ne trouvez pas de pralines roses, remplacez-les par des bonbons durs aux fruits rouges, concassés selon la même méthode.

Crème glacée aux framboises et pralines roses

PRÉPARATION : 15 MIN
RÉFRIGÉRATION : 2 H

POUR 6 VERRINES

Pour la purée de framboise

> quelques feuilles de menthe
> 150 g de framboises
> 2 cuill. à soupe de jus de citron

Pour la crème de framboise

> 250 g de framboises
> 125 g de mascarpone
> 250 g de fromage blanc
> 70 g de sucre glace

Pour décorer

> 12 pralines roses
> 6 framboises entières

Préparez la purée de framboise. Lavez les feuilles de menthe et séchez-les avec du papier absorbant. Ciselez-les très finement. Écrasez à la fourchette les framboises, ajoutez le jus de citron, la menthe ciselée et mélangez.

Préparez la crème de framboise. Mixez les framboises. Dans un récipient profond, battez ensemble le mascarpone, le fromage blanc et le sucre glace, puis ajoutez les framboises mixées en mélangeant soigneusement.

Au fond de chaque verrine, déposez de la purée de framboise, ajoutez la crème de framboise et laissez prendre au réfrigérateur pendant 2 heures.

Dans un sac de congélation, concassez grossièrement les pralines roses.

Au moment de servir, saupoudrez chaque verrine de pralines concassées et ajoutez une framboise entière.

Le spéculos, petit gâteau sec d'origine belge, au goût subtil de cannelle, peut être remplacé par des palets bretons au parfum plus doux.

Cheesecake citron, spéculos et myrtilles

PRÉPARATION : 20 MIN

CUISSON : 2 MIN

RÉFRIGÉRATION : 1 H

POUR 6 VERRINES

> 12 spéculos

Pour le *cheesecake* au citron

> 4 œufs

> 75 g de sucre en poudre

> 2 feuilles de gélatine

> 3 citrons non traités

> 10 cl de crème liquide

Pour décorer

> 100 g de myrtilles

> sucre glace

Écrasez soigneusement les spéculos à l'aide d'un rouleau à pâtisserie, répartissez-les dans les verrines. Réservez.

Préparez le *cheesecake* au citron. Séparez les blancs d'œuf des jaunes. Réservez les blancs. Dans un saladier, fouettez les jaunes d'œuf et le sucre jusqu'à ce que le mélange blanchisse. Faites tremper les feuilles de gélatine dans un récipient d'eau froide. Prélevez le zeste des citrons préalablement lavés ; pressez ceux-ci. Dans une casserole, mettez les zestes et le jus des citrons. Faites chauffer 2 minutes à feu doux, sortez du feu, incorporez la gélatine essorée, mélangez jusqu'à complète dissolution. Versez cette préparation sur les jaunes d'œuf au sucre, mélangez de nouveau. Montez les blancs d'œuf en neige et incorporez-les à la préparation. Dans un récipient préalablement placé au réfrigérateur, fouettez la crème liquide bien froide et montez-la en chantilly, puis ajoutez-la dans le saladier. Mélangez délicatement.

Répartissez la crème obtenue dans les verrines garnies de spéculos et réservez-les 1 heure au minimum au réfrigérateur.

Au moment de servir, ajoutez les myrtilles et saupoudrez-les de sucre glace à l'aide d'une petite passoire.

Il est indispensable d'ajouter la barbe à papa juste avant de servir, le sucre fondant très vite au contact de la mousse de fraise.

Mousse de fraise

PRÉPARATION : 20 MIN

RÉFRIGÉRATION : 2 H

POUR 6 VERRINES

> 3 biscuits roses de Reims

Pour la mousse de fraise

> 500 g de fraises

> 1 cuill. à soupe de jus de citron

> 1 cuill. à soupe de curaçao blanc
  (ou de kirsch)

> 1 blanc d'œuf

> 1 pincée de sel

> 3 cuill. à soupe de sucre en poudre

> 10 cl de crème liquide

Pour décorer

> 50 g de barbe à papa (en pot)

Écrasez grossièrement les biscuits roses de Reims. Répartissez les miettes de biscuit au fond de chaque verrine.

Préparez ensuite la mousse de fraise. Lavez, égouttez et équeutez les fraises. Mixez-les en purée avec le jus de citron et le curaçao blanc. Dans un saladier, fouettez le blanc d'œuf en neige avec une pincée de sel et ajoutez-y progressivement le sucre. Incorporez délicatement la purée de fraise au blanc d'œuf monté en neige, sans obtenir un mélange parfait. Fouettez la crème liquide et montez-la en chantilly. Ajoutez la crème Chantilly à la mousse de fraise, en soulevant le mélange à la spatule afin de réaliser des marbrures. Versez la mousse dans chaque verrine et réservez au réfrigérateur pendant 2 heures au minimum.

Au moment de servir, préparez 6 portions de barbe à papa en les soulevant à l'aide d'une fourchette, puis déposez-les dans les 6 verrines. Dégustez sans attendre.

Ce dessert, nommé *kulfi*, est un grand classique de la pâtisserie indienne. Il doit sa particularité au lait cuit aromatisé à l'eau de rose et à la cardamome, au goût légèrement camphré.

Glace indienne aux pistaches et coulis de mangue

PRÉPARATION : 15 MIN

CUISSON : 45 MIN

RÉFRIGÉRATION : 4 H

POUR 6 VERRINES

Pour la crème glacée

> 180 cl de lait

> 6 cuill. à café de farine de riz

> 120 g de sucre en poudre

> 12 amandes mondées

> 18 pistaches mondées

> 2 g de cardamome en poudre

> 150 g de lait concentré

> 3 cuill. à soupe d'eau de rose

Pour le coulis de mangue

> 1 mangue

> 15 cl d'eau

Pour décorer

> 12 pistaches mondées

> quelques petites feuilles de menthe

Préparez la crème glacée. Dans une casserole, portez le lait à ébullition, et réservez-en 1 cuillerée à soupe dans un bol. Laissez cuire à petits bouillons pour réduire le lait de moitié. Dans le lait réservé, délayez la farine de riz puis versez le tout dans la casserole de lait chaud, et mélangez soigneusement. Ajoutez le sucre et remuez jusqu'à l'obtention d'une crème. Sortez du feu et fouettez. Mixez les amandes et les pistaches. Ajoutez celles-ci à la crème de lait avec la cardamome en poudre et mélangez. Laissez tiédir le mélange, puis incorporez le lait concentré et l'eau de rose en remuant. Répartissez la préparation dans les verrines et mettez au congélateur pendant 4 heures au minimum.

Préparez le coulis de mangue. Épluchez la mangue, tranchez-la de chaque côté du noyau et coupez-la en cubes. Mixez ceux-ci avec l'eau et réservez au réfrigérateur.

Concassez grossièrement 12 pistaches pour la décoration. Au moment de servir, versez sur la crème glacée du coulis de mangue, ajoutez les pistaches concassées et décorez de petites feuilles de menthe.

Pour une prise plus rapide de la crème Chantilly et une texture plus solide, réservez au préalable la crème liquide et les ustensiles au réfrigérateur.

Abricots caramélisés à la crème Chantilly et au nougat dur

PRÉPARATION : 20 MIN

CUISSON : 15 MIN ENVIRON

POUR 6 VERRINES

Pour les abricots caramélisés

> 200 g d'abricots frais (ou en conserve)
> 10 g de beurre
> 1 cuill. à café de sucre roux

Pour le sirop vanillé

> 1 gousse de vanille
> 12 cl d'eau
> 100 g de sucre roux
> 2 brins de thym frais

Pour la crème Chantilly

> 25 cl de crème liquide
> 30 g de sucre glace

Pour décorer

> 50 g de nougat noir (nougat dur)

Préparez les abricots caramélisés. Lavez les abricots et coupez-les en petits quartiers. Dans une poêle, faites fondre le beurre, ajoutez les abricots, saupoudrez-les de sucre roux et laissez-les dorer pendant 2 minutes de chaque côté. Laissez tiédir.

Préparez le sirop vanillé. Fendez la gousse de vanille et grattez la pulpe à l'aide d'un couteau. Dans une casserole, versez l'eau, le sucre roux en pluie, ajoutez la gousse de vanille et sa pulpe. Augmentez le feu, ajoutez le thym et laissez épaissir 10 minutes. Ôtez la gousse de vanille en fin de cuisson.

Préparez la crème Chantilly. Dans un récipient préalablement placé au réfrigérateur, fouettez la crème liquide bien froide. Ajoutez le sucre glace tout en continuant de fouetter.

Dans un sac de congélation, concassez le nougat noir à l'aide d'un rouleau à pâtisserie, sans l'écraser.

Au moment de servir, déposez dans chaque verrine des abricots caramélisés, répartissez le sirop vanillé et ajoutez la crème Chantilly. Décorez avec les éclats de nougat.

Éplucher les oranges à vif permet d'éviter l'amertume donnée par la peau blanche et de préserver la transparence du granité.

Salade d'oranges et granité au cidre

PRÉPARATION : 20 MIN

CUISSON : 10 MIN ENVIRON

CONGÉLATION : 2 H 30

POUR 6 VERRINES

> 100 g de pistaches concassées
> quelques feuilles de menthe

Pour le granité

> 2 oranges de préférence bio
> 20 cl d'eau
> 50 g de sucre en poudre
> 50 cl de cidre

Pour la salade d'oranges

> 2 oranges
> 1 trait de sirop de grenadine
> 1 cuill. à soupe d'eau de fleur d'oranger
> 2 cuill. à soupe de miel
> quelques feuilles de menthe ciselées
> 1 pincée de cannelle

Préparez le granité. Lavez les oranges et prélevez les zestes. Coupez les oranges zestées en deux, pressez-les. Faites chauffer l'eau à feu doux avec le sucre, le jus et les zestes d'orange jusqu'à dissolution complète du sucre, pendant 5 minutes environ, puis portez à ébullition. Faites redescendre ensuite la température jusqu'au frémissement pendant 3 minutes, et laissez refroidir. Ajoutez le cidre. Versez dans un plat large, de préférence ne dépassant pas 4 cm de hauteur ; placez-le au congélateur. Au bout de 1 heure, remuez le mélange épaissi avec une fourchette, puis laissez prendre de nouveau pendant 1 heure. Grattez les paillettes, remettez 30 minutes au congélateur.

Préparez la salade d'oranges. Pelez les oranges à vif. Pelez chaque segment au-dessus d'une assiette pour récupérer le jus. Arrosez les oranges de grenadine et d'eau de fleur d'oranger, ajoutez le miel, les feuilles de menthe et la cannelle, mélangez et répartissez dans chaque verrine. Réservez au réfrigérateur, ainsi que les verrines vides, pour les refroidir.

Au moment de servir, grattez les petits cristaux du granité pour préserver la texture granuleuse. Dans les verrines, répartissez la salade d'oranges, ajoutez les pistaches concassées puis versez le granité. Parsemez de quelques feuilles de menthe.

TABLE DES ÉQUIVALENCES FRANCE-CANADA

POIDS

55 g	2 onces	200 g	7 onces	500 g	18 onces
100 g	3,5 onces	250 g	9 onces	750 g	27 onces
150 g	5 onces	300 g	11 onces	1 kg	36 onces

Ces équivalences permettent de calculer le poids, à quelques grammes près (en réalité, 1 once = 28 g).

CAPACITÉS

25 cl	9 onces	75 cl	26 onces
50 cl	17 onces	1 l	35 onces

Pour faciliter la mesure des capacités, 25 cl équivalent ici à 9 onces (en réalité, 23 cl = 8 onces = 1 tasse).

Direction éditoriale Véronique DE FINANCE-CORDONNIER
Édition Mathilde PITON
Direction artistique Emmanuel CHASPOUL
Mise en page Martine DEBRAIS
Lecture-correction Madeleine BIAUJEAUD
Couverture Véronique LAPORTE
Fabrication Annie BOTREL

ISBN 978-2-03-584424-8

Photogravure Turquoise, Émerainville
Imprimé en Espagne par Graficas Estella, Estelle
Dépôt légal : mars 2009 – 302740/01 – 11008297 janvier 2009